La grenouille et le têtard

Camilla de la Bédoyère

Texte français de Claudine Azoulay

Les mots en caractères **gras** sont expliqués dans le glossaire de la page 22.

Catalogage avant publication de Bibliothèque et Archives Canada

De la Bédoyère, Camilla

La grenouille et le têtard / Camilla de la Bédoyère ;
texte français de Claudine Azoulay.

(Cycle de vie)
Traduction de: Tadpole to frog.
Pour les 5-9 ans.
ISBN 978-1-4431-0110-3

1. Grenouilles—Cycles biologiques--Ouvrages pour la jeunesse.
I. Azoulay, Claudine II. Titre. III. Collection: Cycle de vie (Toronto, Ont.)

QL668.E2D4514 2010   j597.8'9156   C2009-904877-9

Édition publiée par les Éditions Scholastic,
604, rue King Ouest, Toronto (Ontario) M5V 1E1.

6 5 4 3 2   Imprimé en Chine CP141   15 16 17 18 19

Auteure : Camilla de la Bédoyère
Conceptrice graphique et recherchiste d'images : Melissa Alaverdy
Directrice artistique : Zeta Davies

Table des matières

Qu'est-ce qu'une grenouille?

Une grenouille est un **amphibien**. Elle passe une partie de sa vie dans l'eau et une partie de sa vie sur terre.

Les amphibiens pondent leurs œufs dans l'eau. Ils vivent dans des lieux humides, souvent près des étangs et des lacs.

◄ Les grenouilles rousses ont une peau lisse et humide et des yeux jaune doré.

4

Certaines grenouilles vivent dans les **forêts pluviales**. Ce sont des grenouilles arboricoles, ce qui veut dire qu'elles vivent sur les arbres. La plupart des grenouilles arboricoles sont plus petites que celles vivant au sol.

Œil

▶ **Les gros yeux rouges et les pieds orange de cette grenouille arboricole font fuir les autres animaux.**

Pied

L'histoire d'une grenouille

Une jeune grenouille s'appelle un **têtard**. Son allure est très différente de celle d'une grenouille.

Ce petit animal commence sa vie sous la forme d'un œuf. On appelle l'histoire incroyable de sa transformation en grenouille adulte son **cycle de vie**.

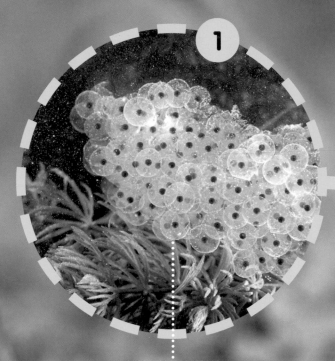

1

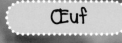

Œuf

2

Têtard

◄ Le cycle de vie de la grenouille se divise en trois stades. Les deux premiers stades se passent dans l'eau.

Grenouille

3

Le frai de grenouille

Au printemps, le mâle et la femelle se réunissent pour **s'accoupler**. Ils s'accouplent toujours dans l'eau.

Le mâle se cramponne à la femelle. Pendant que la femelle pond ses œufs, le mâle les recouvre d'un liquide. Le liquide **féconde** les œufs.

8

Seuls les œufs fécondés deviendront des têtards. Les œufs sont mous comme de la gelée. Ils se collent ensemble pour former un amas, le **frai de grenouille.**

▼ **Le frai de grenouille gonfle et flotte à la surface de l'eau.**

À l'intérieur des œufs

Une fois les œufs pondus, les grenouilles adultes s'en vont. À l'intérieur de chaque œuf, un têtard se développe.

Le têtard se nourrit du petit **jaune** contenu dans l'œuf et il grossit.

▶ Une grenouille femelle peut pondre des centaines d'œufs en une seule fois.

Les poissons et
les autres animaux de l'étang
mangent beaucoup d'œufs de
grenouilles. Les œufs qui survivent
deviennent des têtards.

Après quelques semaines, les œufs
éclosent. L'éclosion a lieu plus tôt
par temps chaud que par temps froid.

Des têtards minuscules

Les têtards sont minuscules quand ils éclosent, mais ils grossissent vite.

Chaque têtard possède une longue queue, qu'il utilise pour nager. Il a aussi des **branchies** plumeuses de chaque côté de la tête, qui lui permettent de respirer sous l'eau.

Au début, les têtards ne mangent que des petites plantes aquatiques vertes. Par la suite, ils mangeront aussi des animaux de l'étang, comme des puces d'eau.

▶ Les têtards se nourrissent et grossissent. Ils grossissent plus vite s'ils vivent dans une eau chaude, riche en nourriture.

Queue

Branchies

La grande transformation

Les têtards commencent à se transformer en grenouilles à environ sept semaines.

D'abord, leurs pattes de derrière poussent. Quelques semaines plus tard, leurs branchies disparaissent. Ensuite, ils nagent à la surface de l'eau pour respirer de l'air.

3

2

1

▲ À mesure que ses pattes s'allongent, sa queue raccourcit.

◄ Ensuite, ses pattes de devant commencent à pousser.

◄ Les pattes de derrière du têtard poussent en premier.

Leur queue commence à rétrécir et leurs pattes de devant commencent à pousser. Les têtards ressemblent maintenant à de toutes petites grenouilles.

▼ À 12 semaines, une toute petite grenouille mesure environ 3 centimètres de long.

4

Les jeunes grenouilles

À mesure que les petites grenouilles grossissent, leur queue disparaît.

Les jeunes grenouilles restent dans l'eau ou à proximité. Elles se nourrissent de petits **insectes** qu'elles attrapent avec leur longue langue collante.

▶ **Les jeunes grenouilles savent nager, ramper, sauter et grimper sur les feuilles flottantes des nénuphars.**

Quand elles sont plus grosses,
les jeunes grenouilles s'éloignent
de leur étang.

Elles trouvent un endroit
sûr où se cacher, sous
les plantes.

▶ Cette jeune
grenouille se cache
sous une sarracénie,
dans un boisé.

La vie d'une grenouille

Les grenouilles adultes passent la majeure partie de leur temps sur terre. Elles se cachent des animaux qui les chassent pour se nourrir.

Les grenouilles se reposent durant le jour. Le soir, elles chassent des insectes, des limaces et des vers.

▼ Les grenouilles font de très grands sauts pour attraper leur nourriture avec leur longue langue.

Langue

▼ Le camouflage permet à la grenouille de se cacher des animaux qui veulent la manger.

Beaucoup de grenouilles ont la peau verte, grise ou brune. Elles se fondent dans leur environnement et sont donc difficiles à voir. C'est ce qu'on appelle le **camouflage**.

De retour dans l'étang

En hiver, il y a peu de nourriture et il fait froid; c'est pourquoi les grenouilles **hibernent**.

Quand les animaux hibernent, ils tombent dans un profond sommeil pour économiser de l'énergie.

▲ Les grenouilles hibernent sous des roches, dans des terriers ou dans des étangs.

Au printemps, les grenouilles retournent dans l'étang où elles sont nées. C'est là que les grenouilles adultes s'accouplent. Bientôt, le cycle de vie recommencera.

▲ Les grenouilles arboricoles mâles coassent bruyamment pour attirer les femelles en vue de l'accouplement.

▼ Les grenouilles sont prêtes à s'accoupler quand elles sont âgées de deux à trois ans.

Glossaire

Amphibien
Animal qui passe la première partie de son cycle de vie dans l'eau et la seconde principalement sur terre.

Branchies
Parties du corps d'un têtard qui lui permettent de respirer sous l'eau.

Camouflage
Motifs et couleurs qui aident un animal à se dissimuler dans son environnement.

Cycle de vie
Période durant laquelle un être vivant se transforme de la naissance à la mort et produit des petits.

Féconder
Quand le liquide du mâle transforme les œufs de la femelle pour qu'ils puissent se développer en de nouveaux êtres vivants.

Forêt pluviale
Forêt recevant beaucoup de pluie toute l'année.

Frai de grenouille
Amas d'œufs de grenouilles.

Hiberner
Passer les mois froids d'hiver dans une sorte de sommeil profond.

Insectes
Petits animaux à six pattes. Une puce d'eau est un type d'insecte.

Jaune
Partie de l'œuf dont se nourrit le têtard pendant sa croissance.

S'accoupler
Action par laquelle deux animaux, un mâle et une femelle, se réunissent pour produire un nouvel être vivant.

Têtard
Petit de la grenouille quand il sort de son œuf et vit dans l'eau.

Index

Notes aux parents et aux enseignants

 Feuilletez le livre et parlez de ses illustrations.

 La sécurité en plein air. Apprenez aux enfants à être prudents quand ils font des recherches sur les animaux et leurs cycles de vie, surtout quand ils se trouvent aux abords de l'eau.

 Respecter la faune. Apprenez aux enfants comment observer les animaux ou, le cas échéant, comment les manipuler avec précaution. Les enfants devraient observer les animaux dans leur milieu naturel, sans les déranger ni troubler leur habitat. On ne doit pas déplacer le frai de grenouille d'un étang à un autre, car cela favorise la propagation des virus et des maladies.

 Activités liées à la grenouille. Dessinez le cycle de vie d'une grenouille et nommez ses différents stades. À l'aide d'Internet, faites une recherche sur les grenouilles à flèche empoisonnée et trouvez quel moyen elles utilisent pour se défendre.

 Visitez un étang ou une réserve faunique pour en apprendre davantage sur les étangs en tant qu'habitats. Expliquez comment un habitat procure la nourriture et l'abri dont un animal a besoin pour survivre. Trouvez quels autres animaux vivent dans un étang.

 Préparez-vous à répondre à des questions sur le cycle de vie humain. Aidez l'enfant à comprendre le cycle de vie en lui parlant de sa famille. Dessiner des arbres généalogiques simples, regarder des albums de photos de famille et partager des histoires familiales avec les grands-parents sont des moyens amusants de susciter l'intérêt des jeunes enfants.